CLA(

CU00811073

**Poems from
Prison and Life**

Poems from Prison and Life

Marcos Ana

Translated by
David Duncombe

Smokestack Books
1 Lake Terrace, Grewelthorpe, Ripon HG4 3BU
e-mail: info@smokestack-books.co.uk
www.smokestack-books.co.uk

Poemas de la Prisión y la Vida
published by
Ediciones Urano, 2011

ISBN 9781916312180

Smokestack Books
is represented
by Inpress Ltd

Indice

Contents

Author's Note

To live for others is the best way of living for oneself

These poems were written in prison, in the depth of night, by the poor light of a peculiar lamp, assembled from am old inkwell, a little alcohol that I smuggled from the sick bay and a wick plaited from the lace of an espadrille. This light could be extinguished with one puff at the least disturbance. This was how I wrote, my hands gilded by the moon, ears on the alert, wrapped in a blanket, projecting a strange shadow on the wall, while through the roof-window of my cell, the night crept up on me like a dark animal.

I used to rise very early, before the sound of reveille to work on my verses in the cold solitude of dawn breaking, until the day began. Afterwards when eyes and keys were waking up, I would hide my words in a shoe and while walking in the prison yard, on a circular path that led nowhere, I would memorise the poems, giving them form and harmony.

They were and are simple poems, messengers of dignity, that do not claim to reach the heights of the elite, but rather to bring human warmth to those that suffered captivity and to knock on the doors of the world to awaken those half-asleep, unaware of our personal drama and the collective tragedy of Spain. Some of those poems I have gathered in this collection, with hope that they may be shared by my contemporaries and at the same time open a path of fire and rebellion in the hearts and minds of the new generations, in whose furrows we have sown our history.

Marcos Ana
Madrid, October 2011

Mi vida,
os la puedo cantar en dos palabras:
un patio
y un trocito de cielo
por donde a veces pasan
una nube perdida
y algún pájaro huyendo de sus alas.

My life,
I can tell you in a few words:
a yard
and a thin slice of sky
where at times pass
a lost cloud
and some bird fleeing from its wings.

Autobiografía

Mi pecado es terrible;
quise llenar de estrellas
el corazón del hombre.
Por eso aquí entre rejas,
en diecinueve inviernos
perdí mis primaveras.
Preso desde mi infancia
y a muerte mi condena,
mis ojos van secando
su luz contra las piedras.
Mas no hay sombra de arcángel
vengador en mis venas:
España es sólo el grito
de mi dolor que sueña...

Autobiography

My sin is terrible;
I wanted to fill the heart
of mankind with stars.
For that, here behind bars,
in nineteen winters
I lost my springtimes.
A prisoner from my childhood
and condemned to death,
my eyes are losing
their brightness against the stones.
Yet there is no shadow in my veins
of an avenging archangel:
Spain alone is the cry
from the pain in my dreams...

Norma

Quiero que mis poemas tengan hueso
y estructura de piedras palpitantes:
verlos siempre de pie (torres errantes
de la vida y el hombre) por su peso.

Capaces de ser bala y de ser beso,
cantos de paz o puños resonantes,
azules como el rayo o verdeantes
como olivo maduro... Que su espeso

son a metal, colmena o bosque herido,
suba desde mi sangre, tensamente,
a otro labio desierto o perseguido.

¡Versos con alma y versos con simiente,
con atléticos hombros y un erguido
pueblo de corazones por su frente!

My rule

I want my poems to have the stone
and structure of rocks with hearts beating:
to see them on their feet (wandering towers pulsating
with humanity) with lives of their own.

They may be bullets fired or kisses blown,
songs of peace or the din of fighting,
blue as the sky in a flash of lightning
or green as a gnarled olive tree... Whether shown

as metal, beehive or ruined forest,
let the spirit rise from my blood and speed
to the lips of someone else deserted or oppressed.

Verses with soul or verses that sow seed,
having broad shoulders and faced
by people with hearts that can bleed.

¿La vida?

Decidme cómo es un árbol.
Decidme el canto de un río
cuando se cubre de pájaros.

Habladme del mar, habladme
de olor ancho del campo,
de las estrellas, del aire.

Recitadme un horizonte
sin cerradura y sin llave,
como la choza de un pobre.

Decidme cómo es el beso
del una mujer. Dadme el nombre
del Amor, no lo recuerdo.

¿Aún las noches se perfuman
de enamorados con tiemblos
de pasión bajo la luna?

¿O sólo queda esta fosa,
la luz de una cerradura
y la canción de mis losas?

Veintidós años... Ya olvido
la dimensión de las cosas,
su color, su aroma... Escribo

a tientas: 'el mar', 'el campo'...
Digo 'bosque' y he perdido
la geometría de un árbol.

Hablo, por hablar, de asuntos
que los años me borraron...

No puedo seguir, escucho
los pasos del funcionario.

Life?

Tell me what a tree is like.
Tell me the song of the river
when birds flock above.

Talk to me about the sea, talk to me
of the scent that fills the countryside,
of the stars, of the air.

Outline a horizon for me
without lock and without key
like a poor man's hut.

Tell me what a woman's kiss
is like. Give me the name
for Love: I can't recall it.

Are the nights still perfumed
with lovers trembling
with passion beneath the moon?

Or is this pit all that remains,
the light from a keyhole
and the singing from my flagstones?

Twenty-two years... Now I forget
the dimension of things,
their colour, their smell... I grope

for words: 'sea', 'fields'...
I say 'forest' but have lost
the design of a tree.

I talk, for the sake of it, about matters
that the years erased from me.

I can't go on: I can hear
the footsteps of the guard.

Mi casa y mi corazon

sueño de libertad

Si salgo un día a la vida
mi casa no tendrá llaves:
siempre abierta, como el mar,
el sol y el aire.

Que entren la noche y el día,
y la lluvia azul, la tarde,
el rojo pan de la aurora;
la luna, mi dulce amante.

Que la amistad no detenga
sus pasos en mis umbrales,
ni la golondrina el vuelo,
ni el amor sus labios. Nadie.

Mi casa y mi corazón
nunca cerrados: que pasen
los pájaros, los amigos,
el sol y el aire.

My house and my heart

a dream of freedom

If I get out one day to live again
my house will have no keys:
always open, like the sea,
the sun and the air.

Let night and day come in,
and the blue rain, the afternoon,
the red dawn that I feed on;
the moon, my sweet love.

May friendship not hold back
its steps in my shadows,
nor the swallow its flight,
nor love its lips. No-one.

My house and my heart
never closed. Let the birds,
my friends, pass through
with the sun and the air.

Prisión Central

Muros hirsutos. Ásperas cortezas
donde el hombre se duele cada día.
Apretada oquedad de llaga y fosa.

Socavón de Castilla. Lento espanto.
Catedral invertida hacia la tumba,
bajo una piel de piedra cancerosa,

Hay un árbol, aquí, pleno, encerrado,
de corazones vivos que semejan
puños airados en la luz borrosa;

muchas hojas sin sangre van cayendo,
más si raíz indómita florece
una bandera abierta en cada losa.

Y en esta pena oscura donde habita
mi corazón en sombras, ya tan sólo
la luz de esa bandera es asombrosa.

Central Prison

Walls, bristling like coarse skin,
enclose the man whose every day is pain.
Crushed in an open wound of a grave, sick.

A sinkhole in Castilla. Slow fear.
Cathedral inverted to a tomb,
under a skin of cancerous stonework.

There is a tree here, entire, shut in,
growing living hearts that sow seeds
of angry blows in the half-dark;

myriad bloodless leaves are falling,
but the root, impossible to kill, flourishes
a banner unfurled in each paving block.

And in this sunless punishment, in the shadows
where my heart lives on, so much alone now,
the light from that banner shines like magic.

Mi corazon es patio

a María Teresa León

La tierra no es redonda:
es un patio cuadrado
donde los hombres giran
bajo un cielo de estaño.
Soñé que el mundo era
un redondo espectáculo
envuelto por el cielo,
con ciudades y campos
en paz, con trigo y besos,
con ríos, montes y anchos
mares donde navegan
corazones y barcos.

Pero el mundo es un patio
(un patio donde giran
los hombres sin espacio).

A veces, cuando subo
a mi ventana, palpo
con mis ojos la vida
de luz que voy soñando.
Y entonces, digo: 'El mundo
es algo más que el patio
y estas losas terribles
donde me voy gastando.'

Y oigo colinas libres
voces entre los álamos,
la charla azul del río
que ciñe mi cadalso.

My heart is a prison yard

to María Teresa Léon

The earth is not a sphere;
it is a square yard
where men walk round
beneath a sky of tin.
I dreamed that the world
was a sphere, spectacular,
wrapped in the sky,
with cities and fields
in peace, with wheat and kisses,
with rivers, hills and wide
open seas, navigated
by hearts and ships.

But the world is an enclosed yard
(a yard paced around
by men without space).

At times, when I climb
to my window, my eyes
sense the sunlit life
that I see when dreaming.
And then I say: 'The world
is something more than the yard
and these terrible stone slabs
where I see myself wasting away.'

And I hear the freedom of the hills,
voices among the poplar trees,
the blue chatter of the river
that encircle my scaffold.

'Es la vida,' me dicen
los aromas, el canto
rojo de jilgueros,
la música en el vaso
blanco y azul del día,
la risa de un muchacho...

Pero es soñar despierto
(mi reja es el costado
de un sueño
que da el campo).

 Amanezco, y ya todo –
fuera del sueño – es patio:
un patio donde giran
los hombres sin espacio.

'That's life,' they tell me –
the smells, the bright song
of the goldfinches,
the music in the glass,
white and blue like the day,
a young man's laugh...

But it is a waking dream
(my bars are the edge
of a dream
looking over the fields).

I curse, and now everything –
outside the dream – is the yard:
a yard paced around
by men without space.

¡Hace ya tantos siglos
que nací emparedado,
que me olvidé del mundo,
de cómo canta el árbol,
de la pasión que enciende
el amor en los labios,
de si hay puertas sin llaves
y otras manos sin clavos!
Y ya creo que todo –
fuero del sueño – es patio.

(Un patio bajo un cielo
de fosa, desgarrado,
que acuchillan y acotan
muros y pararrayos.)

Ya ni el sueño me lleva
hacia mis libres años.
Ya todo, todo, todo –
hasta el sueño – es patio.

Un patio donde gira
mi corazón, clavado;
mi corazón, desnudo;
mi corazón, clamando;
mi corazón, que tiene
la forma gris de un patio.

Un patio donde giran
los hombres sin descanso.

It is so many centuries
since I was born walled in,
since I forgot the world,
how a tree can sing,
how passion inflames
love on one's lips,
that there are doors without keys,
and other, unwounded hands!
I now believe that everything –
outside the dream – is the yard.

(A yard beneath a gravestone
sky, broken up,
that hacks down and diminishes
walls and lightning conductors.)

Now my dream no longer takes me
to my years of freedom.
Now everything, everything, everything –
into my dream – is the yard.

A yard where it turns about,
my heart, pierced;
my heart, naked;
my heart, crying out;
my heart, displaying
the grey shape of a yard.

A yard where men walk round
without rest.

Pequeña carta al mundo

Los dientes de una ballesta
me tienen clavado el vuelo.

tengo el alma desgarrada
de tirar, pero no puedo
arrancarme estos cerrojos
que me atraviesan el pecho.

Ocho mil doscientas veces
la luna cruzó mi cielo
y otras tantas, la dorada
libertad cruzó mi sueño.

El Sol me hace crecer flores,
¿para qué, si estéril veo
que entre los muros mi sangre
se me deshoja en silencio?

No sabéis lo que es un hombre
sangrando y roto, en un cepo.

Si lo supieseis vendrías
en las olas y en el viento,
desde todos los confines,
con el corazón deshecho,
enarbolando los puños
para salvar lo que es vuestro.

Sí llegáis ya tarde un día
y encontráis frío mi cuerpo;
de nieve a mis camaradas
entre sus cadenas muertos...

A brief message to the world

Crossbow bolts hold me
pinned in flight.

My soul is torn
by this struggle, but I cannot
wrench out these arrowheads
that pierce my breast.

Eight thousand two hundred times
the moon crossed my sky
and so many others, golden
liberty passed through my dreams.

The sun tells me to grow flowers,
but why, if I see that inside
these barren walls my blood
lets me wither in silence?

You don't know what a man becomes,
bleeding and broken, in a cage.

If you decided, you could come here
amongst the smells and on the wind
from all the ends of the earth,
with your heart melting,
brandishing your fists
to save someone who is yours.

If you arrived late one day
and found my body, cold
from the snow, my comrades
dead in their chains...

recoged nuestras banderas,
nuestro dolor, nuestro sueño,
los nombres que en las paredes
con dulce amor grabaremos.

Y en la soledad del muro
hallareis mi testamento:

al mundo le dejo todo
lo que tengo y lo que siento,
lo que he sido entre los míos,
lo que soy, lo que sostengo;
una bandera sin llanto,
un amor, algunos versos...
y en las piedras lacerantes
de este patio gris, desierto,
mi grito, como una estatua
crucificada y rota, en el centro.

gather our flags,
our pain, our dream,
the names that we carved
on the walls with sweet love.

And inside the solitude of the wall
you shall find my will:

to the world I leave everything
that I own and that I feel,
what I have been amongst my own,
what I am, what I believe in:
a flag, with no weeping,
love, a few verses...
and on the wounding stones
of this grey yard, deserted,
my scream, like a statue
crucified and broken, in the centre.

Reiteración

Te llamo desde aquel, el mismo muro
otra vez. Atrozmente sepultado
sigue mi corazón, mi sueño, todo
lo que es vida o soñar.
                              Encadenado

sigo. No me dejan gritar. Escupo
hiero mudo. Mi boca está sangrando
de tascar insumisa los cerrojos,
como un caballo el freno.
                              Voy clamando.

Mi lengua ruge de pasión, levanta
su voz como un náufrago, golpea
hasta que cruje el verso y la palabra
se hace un chorro de sangre al pie del muro.

Pero esta sangre sube – oh, voz herida
hecha torre de fuego para el mundo.

Once more

I am calling you from that same wall
again. Cruelly entombed
my heart beats on, my dream, all
that is life or to wish for.
                                        In chains

I carry on. They don't let me scream. I spit out
silent steel. My mouth is bleeding
from champing defiantly at the iron bolts,
like a horse at its bit.

                                    I go on protesting.

My tongue roars with passion, raising
the voice like a drowning man, lashing out
until the verse breaks up and the words
create a stream of blood at the foot of the wall.

But this blood rises – oh, wounded voice
turned into a tower of fire before the world.

Carta urgente a la juventud del mundo

Si la juventud quisiera,
mi pena se acabaría,
y mis cadenas.

(Decid ¡Basta!
haced la prueba)

Vuestros brazos son un bosque
que llenan toda la tierra;
si en enarboláis vuestras manos
el cielo cubrís con ellas.

¿Qué tiranos, qué cerrojos,
qué murallones, qué puertas
no vencieran vuestras voces
en un alud de protesta?

(Todos los tiranos tienen
sus pedestales de arena,
de sangre rota y de barro
babilónico las piernas).

Pronunciad una palabra
con la indignación que os quema,
moved tan sólo los labios
a la vez, y la marea
juvenil atronaría
como un mar cuando se encrespa.

Urgent letter to the youth of the world

If young people wanted,
my punishment would end,
and my chains would fall.

(Say it! Enough!
Make the attempt.)

Your arms make a forest
that covers the entire earth;
if you raise your hands
you will blot out the sky.

What tyrants, what bolts,
what enclosing walls, what doors
could your voices not overcome
in a flood of protest?

(All the tyrants have
their pedestals of sand,
of spilled blood and clay
on a babylonic scale).

Pronounce one word
with the indignation which burns you,
simply move your lips
at the same time, and the tide
of youth will be deafening
as an angry sea.

Pero, ¿quién soy yo, qué barco
de dolor, que espuma vieja,
que aire sin luz en el viento
acerco a vuestras riberas?
Como campanarios de oro
vuestros corazones suenan.
La juventud es la hora
del amor, su primavera.
¿Por qué mover vuestras ramas
alegres con mi tristeza?

¿No es mejor que yo me coma
mi pan solo en las tinieblas;
que mis pies cuenten las losas
veinte años más, mientras sueñan
mis ojos sobre las nubes
de un cielo roto en mis rejas?

Pero la vida – mi vida –
me está clamando en las venas.
Ved nuestros rostros. Ya somos
como terribles cortezas;
claustrales rostros, salobres
ojos, que buscan a tientas –
sedientes de luz y sol –
una grieta entre las piedras.

No sabéis lo que es vivir
muriéndose a vida llena;
grises, sobre grises patios,
sin más luz que una bandera
de amor...

But who am I, what ship
of pain, what old surf,
what sunless air on the wind
near your river banks?
Like golden belfries
your hearts ring out.
Youth is the time
of love, its season of spring.
Why shake your branches,
happy now, with my sadness?

Is it not better that I eat my bread
alone in the shadows;
that my feet measure the stone slabs
twenty years more, while my eyes
dream about the clouds
in a sky broken by my cell bars?

But life – my life –
is screaming in my veins.
Look at our faces. Now our skins
are like terrible crusts;
indoor-faces, salt-caked eyes
straining in the dark –
thirsting for light and sun –
for a chink between the stones.

You do not know what it is
to be dying in mid-life;
grey, on grey yards,
with no more light than a sign
of love...

Ni lo sepáis nunca.
Mas si queréis que esta lepra
jamás os alcance el pecho,
no dejéis 'mi muerte' quieta.
No dejadme, no dejadnos
con nuestras sienes abiertas,
y en un cerrojo sangrante
crucificada la lengua.

Levad vuestros pechos.
¡Echad abajo mi celda!
Abrid mi ataúd, que el mundo
en pie de asombro nos vea,
indomables, pero heridos,
sepultos bajo la tierra.

Que no queden en silencio
mis cadenas.

Nor should you ever know.
But if you want this leprosy
never to reach your breast,
do not leave 'my death' undisturbed.
Do not leave me, do not leave us
with our skulls split open
and on a bolt streaming with blood
the tongue crucified.

Raise your spirits.
Demolish my cell!
Open my coffin, so that the world
standing in amazement sees us,
indomitable but wounded,
buried beneath the earth.

Let them not remain silent,
my chains.

Hogar herido

Triste es luchar en una misma casa,
romper la mesa donde el pan se come,
vivir entre cuatro paredes, enfrentados
tercamente en un mismo territorio.

Y más triste es ser ciego,
sordo al llanto de una madre
tener un tacto de áspera corteza
para su corazón en carne viva.

Hay que tener los pulsos amarillos,
la sangre sin vertientes, seca el alma,
para dejar oscuros nuestros pechos
sin esa luz urgente que España necesita.

Ni un paso más, hermano:
que no pueda 'el ayer' o sus cenizas
sus odios oponer a nuestro ENCUENTRO:

Porque ni tú ni yo apagamos la lumbre,
ni robamos el pan,
ni dejamos sin techo y sin puertas nuestra Patria.

A ruined home

It is sad to struggle in the same house,
to break the table where bread is eaten,
to live inside four walls, faced
with the same harsh territory.

And sadder still to be blind,
deaf to the weeping of a mother,
to have bitter, harsh feeling
against your heart in living flesh.

You must have a weak pulse,
blood without passion, a dry soul,
to leave our spirits in the dark
without the light needed urgently by Spain.

Not one step more, brother:
let it not be 'yesterday' or its ashes
of hate opposing our MEETING.

For it is not you nor I putting out the fire,
or stealing bread,
not us leaving our Homeland without roof or doors.

Al soldado que lucho contra me

¿Recuerdas aquel árbol, aquel día
que grabaste con pólvora y batalla,
tu nombre de soldado, tu porfía?

¿Era en esta ciudad, fue en aquel río?
En Brunete, en el Ebro... Ya que importa,
Juan español firmaba con tu nombre y el mío.

También grabé yo al pie de la mañana,
a diente y corazón, sangre y machete,
roja insignia de indómita campana.

Que estéril y triste fue la cruz.
Hacia la noche, hermano, los caminos
torcieron atrozmente. Se congeló la luz.

Y de tu sangre hermosa y de la mía
no nacieron los trigos esperados,
sino sangre y más sangre todavía.

Hermano de la patria y de la pena
tu corazón desnudo está conmigo,
cansado de la espada y la cadena.

Una palabra, amor, necesitamos.
Un grito claro, España, y todos uno.
El pueblo sufre y lo destruyen. ¡Vamos!

Digamos no a la Muerte, que la Vida
es el Amor, la Paz, la luz del Alba,
la Libertad que rota y malherida
entre escombros de sangre se levanta.

To the soldier who fought against me

Do you remember that tree, that day,
where you carved out with gunpowder and conflict,
your soldier's name, in your determined way?

Were you in this city, did you go to that valley?
In Brunete, the Ebro... Because that means
Spanish Juan signed up for you and for me.

I also carved, that early morning,
teeth clenched, heart pumping, blood and bayonet,
red symbol of bells that keep ringing.

How futile and sad was the cross.
Towards night, brother, the trails
twisted and turned. The light froze.

And your precious blood and my blood
did not bring the hoped-for harvest,
but blood and yet more blood flowed.

Brother of my homeland and sharing pain,
your naked heart is next to mine,
exhausted by sword and chain.

Love is what we need, that one word.
One clear cry, Spain, united.
The people suffer, are being destroyed.

Let us say no to Death, that Life alone
is Love, Peace, the light of Dawn,
and Freedom, broken and cut to the bone,
from the spilled blood will rise again.

La noche es mi refugio

Mares de sombra me rodean. Prietos
cinchos de alerta y muro. Ya la tarde
como puerta de celda se ha cerrado
contra la luz y el aire.

El cielo es un casco negro y frío
hundido hasta los hombros de la cárcel.

La noche es mi refugio. Siempre os hablo
cuando duermen los ojos y las llaves.
Mi soledad se puebla en esas horas
de rostros entrañables,
de manos que me ofrecen en silencio
sus rojos estandartes.

En el silencio escribo.
Al silencio le arranco sus hojas mas vibrantes,
campanas que me aturden bajo el grito
de 'alertas' implacables.
Como una fiera ahíta
duerme el Patio, sin nadie.
El Wáter huele a orines,
y a turbias oquedades.
(Tan sólo una ventana vierte el frescor del río
y el temblor de unos árboles).

Mis compañeros urden
su vida en los petates:
encuentran cada noche en las afueras
del sueño sus hogares.

Yo les envidio, ya os dije un día:
hasta en el sueño, sólo tengo cárcel.

Night is my refuge

Seas of shadow surround me. Dark
confines of being watched within walls. Afternoon
has closed like a cell door
against the light and air.

The sky is a cold, black skull
sinking into the shoulders of the prison.

Night is my refuge. I always talk to you
when eyes and keys are asleep.
My loneliness is peopled in these hours
by affectionate faces,
hands that offer me in silence
their red banners.

In the silence, I write.
From the silence I snatch the liveliest pages,
bells that deafen me to the scream
of relentless 'warnings'.
Like a satiated wild animal
the prison yard sleeps. No-one is there.
The toilets smell of urine,
and fusty, empty spaces.
(Only one window opens to the freshness of the river
and the rustling of trees).

My companions plot
their lives on escape ladders:
Each night on the edge of their dreams
they find their homes.

I envy them, I told you one day:
in my dream, I have only prison.

Escribo sin descanso
palabras verticales.
Prendo mi voz como un fuego en el monte
y oigo sonar la sangre
del mundo en mis umbrales.

Después, cuando amanezcan
los ojos y las llaves,
me guardaré la voz en un zapato
y aromarán las losas en mi mensaje:

¡Pueblos del Mundo, amigos!
¡corazones cercanos o distantes:
llegad a mi,
poblad mis soledades!

I write without rest
words reaching up.
My voice flames like fire on the mountain
and I hear the blood of the world
sounding near me.

Later, when eyes and keys
begin to waken,
I will hide my voice in a shoe
and the stone slabs will take the tang of my message.

People of the World, friends!
Hearts both near and far:
come to me,
live in my lonely places!

Mano abierta

La hoguera del pueblo tiene
aún esparcidas sus ascuas.

Ay, como el fuego se junte,
¿quién apagará sus llamas,
quién sujetará los bosques
del pueblo ardiendo en sus armas?

Tomad la mano que el pueblo
os ofrece en paz, tomadla.
No esperéis que se maduren
en el dolor las espaldas.

Los diques también se rompen
bajo el martillo del agua;
el viento descuaja el árbol
por hondas que estén sus plantas
y hay volcanes que deshacen
el pecho de las montañas.

Escuchad la voz de un pueblo
que busca la luz del alba,
con la paz en sus banderas
y el amor en sus gargantas.

No dejéis que se maduren
en el dolor las espaldas.

Tomad la mano que el pueblo
os ofrece en paz. TOMADLA.

The hand of friendship

The embers of the public bonfire
continue to spread.

Well, as the fires join together,
who will put out the flames,
who will beat back the forests
of armed people burning?

Take the hand that the people
offer you in peace, take it.
Don't wait for them to grow older
suffering under the sword.

The dams are breaking too,
under the hammering of the water;
the wind rips out the tree
from its deepest roots
and volcanoes pluck out
the heart of the mountains.

Listen to the voice of a people
who search for the light of dawn,
bearing banners of peace
and shouting out love.

Don't let them grow older
suffering under the sword.

Take the hand that the people
offer you in peace. TAKE IT.

Hablaré por vosotros

Hablaré por vosotros.
Excavaré con mi palabra hasta encontraros
en las sangrantes raíces sumergidas
de vuestros corazones enterrados.

Hablaré por vosotros.
Reconstruiré la voz de vuestros labios,
su semilla final, la de aquel grito
constelado de estrellas y balazos.

Hablaré por vosotros.
Y extenderé el secreto que os dejaron
en la oquedad terrible de los ojos
la voz estremecida de los astros.

Hablaré por vosotros.
Jamás olvidaré aquellas madrugadas,
los últimos abrazos, las gargantas
de vuestra dignidad amordazadas.

I will speak for you

I will speak for you.
With my words I will dig my way to meet you
amongst the bleeding roots
sunken in your buried hearts.

I will speak for you.
I will reconstruct the voice on your lips,
your final message, from that cry
exploding with stars and gunshots.

I will speak for you.
I will share that secret that you were left
in the terrible emptiness of your eyes,
your voice reaching for the stars.

I will speak for you.
I will never forget those dawn meetings,
the final embraces, when the throats
of your dignity were gagged.

Oracion a la noche

Desde mi celda

Dame en tu vientre, oh Noche, silencio hospitalario.
Sobre su curva ardiente, reposo a mis pasiones.
Herido por la quilla de un astro solitario
oro en tu cripta herida de estrellas como arpones.

Qué triste es ver mis manos doradas por la luna.
tensas llaves del alma, terribles y fluviales;
pastoras de mis penas por campos sin fortuna,
sobre un papel sediento de versos torrenciales.

Oh, gran devorada, Diosa pura y pagana,
altar de los suicidas, piedra del sacrificio,
mi corazón te ofrezco, su luz de hora temprana,
desnuda de corteza, mollar en su cilicio.

Que magia verte, Noche, soberbia en tu hermosura,
imán de tumba y sueño, sobre tu paz tranquila.
Vestal de la gran cuenca que el infinito amura,
bajo una ceja incierta me alumbra tu pupila.

Di, peligroso hechizo, abismo de poetas,
¿Qué tiene tu mirada que hasta la mar conmueve?
Oh, tuerta alucinante, deja mis olas quietas,
o vuelca tu marea sobre mis costas breves.

Aún puedo con mis penas, se dobla mi esqueleto.
Todo es hierro y cemento, un paisaje sin fin.
Ya todo importa nada. Soy de la muerte un reto.
Mi corazón se anega, la vida va sin mí.

Night prayer

From my cell

Take me into the belly of night, into welcome silence.
On your warm breast, I rest my passions.
Wounded on the point of a single star
I pray in your crypt damaged by meteors like harpoons.

How sad it is to see my hands, golden in moonlight,
outstretched keys to my soul, fearful, full of ideas;
shepherds for my troubles in barren fields,
over paper thirsty for a torrent of verse.

Oh, great consumer, Goddess pure and pagan,
altar of suicides, stone of sacrifice,
I offer you my heart, in the light of early dawn,
stripped naked, powerless in your grip.

What magic to see you, Night, splendid in your beauty,
priest of tomb and dream, in your gentle peace.
Attendant of the eye that looks out to infinity,
questioning, covering me with light.

Tell me, dangerous witch, deathbed of poets,
what controls that look that can disturb the sea?
Oh, wondrous single eye, calm my waves,
or spill your tide on the coasts I want to free.

I am still suffering; my skeleton is twisted.
All is iron and cement, an endless landscape.
Nothing matters now. I am an invitation to death.
My heart is drowning, life goes on without me.

A mis compañeros, en las peores horas de nuestro cautiverio

Ya sé que es dura la jornada, hermanos.
Se rompe el corazón contra las rejas.
Sangran las manos. Y los pies heridos,
van dejando en el patio rojas huellas.
Un reguero de huellas, un camino
circular donde la vida se seca.
Noche y día, sin descanso,
que cuando la noche deja
sombra y herrumbre en los ojos
por el recuerdo se rueda.

Camino gris de noria. Cangilones
llenándose en la Herida, y los 'alertas'
a cuchillo pasándonos el alma que
arropada en su manta siempre sueña
con un llanto de alegres bienvenidas
en el umbral lejano de una puerta,
con el árbol aquel, con aquel río
o la orilla de un mar que se le adentra,
corazón adelante hasta los huesos,
donde los sueños se quedan.

Van quebrando sus uñas nuestros ojos
de escarbar con ahínco en las tinieblas:
ojos oscuros, espantosas lunas,
vagando entre cerrojos y cancelas,
crispándose con ansia en los barrotes
para exprimir la luz de las estrellas.

To my companions in the worst hours of our captivity

Brothers, now I know each day is hard.
Hearts break against the bars.
Hands bleed. And feet, lacerated,
leave red footprints in the yard.
A trail of footprints, a circular
track where life dries out.
Night and day, without relief,
so, when night leaves
shadows and rust in your eyes
your head spins with memories.

Grey circuit of a waterwheel. Buckets
fill from the flow of our wounds, and 'alarms'
come to assassinate the soul
that dressed in its cloak always dreams
weeping of happy welcomes
in the distant threshold of a door,
near that tree, that river, or the beach
of a sea where you're immersed,
heart swelling, pumping with joy,
where dreams still remain.

Our nails scratch at our eyes
anxiously scouring the shadows:
dark eyes, fearful moons,
wandering between locks and iron gates,
shrinking in dread behind bars
trying to squeeze light from the stars.

Dura, tremenda es la jornada, hermanos.
Mas, ¿qué queréis, rodar, dejar abiertas
las fuentes del lamento hasta inundar
de escombro el corazón, su roja fuerza?

Yo también tengo mi dolor, amigos.
Una herida implacable. En cada cuesta
me derriba una pena, y me levanto otra vez.
Alma a rastras, como pueda
llegaré con vosotros.

Recto es un árbol.
Firme mi tronco, aunque las ramas pendan
rotas de un hilo;
aunque mis hojas sangren
o en la matriz sin suerte de sus yemas,
abortada la aurora de mis flores,
sin un vagido de color se mueran.

Hay otra flor inmensa y otra aurora,
un dolor más terrible y otra pena
que resumen la vida y las edades
de los hombres y el mundo: la bandera
que sostienen mis manos golpeadas –
nuestras manos – heridas de cadenas.

¡Oh, bandera del Hombre, alta campana
fosforeciendo en esta Noche, ilesa,
como un astro de luz, ensangrentada:
jamás sorda mi alma, jamás ciega
mi vida en una torre sin ventanas,
sola con su dolor y su condena,
sin ver que en nuestros gritos arden bosques,
sin escuchar que el fuego nos contesta
y nos llaman cien pueblos que nos buscan
con sus lámparas rojas avanzado
desde las cinco partes de la Tierra!

Our journey is hard, immense, brothers.
And, what do you want, to drift, leaving open
the sources of your grief, to choke
your heart, your red strength, with debris?

I too am in pain, friends.
A wound that will not heal. On every hill
grief knocks me back, and I climb up again.
My soul struggles, but whenever I can
I shall be with you.

A tree grows straight up.
My trunk is firm, though the branches
hang broken, almost severed;
yet my leaves bleed
or in the luckless growth of their buds
the unfolding of my flowers is aborted,
with no trace of colour, they die.

There is another great flower and another dawn,
a sickness even worse, with more pain
that sums up life and the passing years
of mankind and the world: the banner
that my damaged hands hold up
– our hands – wounded, in chains.

Oh, emblem of mankind, high symbol
glowing in this night, undamaged,
like a meteor, bloodstained:
never deaf, my soul, never blind
my life in a tower without windows,
alone with its pain and life sentence,
without seeing that in our screams forests burn,
without hearing that we are answered by fire
and a hundred nations call, searching
for us, advancing with their red lanterns
from every corner of the earth!

El mensaje

a Gabriel Celaya, desde la prisión de Burgos

Hago señales en la noche. Muevo
mi corazón como un farol de sangre.
Escucho el eco rojo, la resaca
de un corazón gigante.
Me llega su reflejo. Se deslumbra
la noche de las cárceles.

Algo gira en el mundo. Es la puerta
del Hombre que se abre
al resplandor de un grito.
El Hombre surge. Avanza. Mira a España,
la mira hasta cegarse de amor.

Encadenada ve,
sangrando en una cruz, su propia imagen.
Clamando está la tierra.
El cielo, el mar, el aire.

Trepo a los muros del dolor. Levanto
mis brazos, como mástiles desnudos.

¡Aquí, aquí, de España es esta sangre!
Grito, grito otra vez con voz de náufrago.
Perdonadme esta prisa, perdonadme...

The message

to Gabriel Celaya, from Burgos gaol

I send signals in the night. I work
my heart like a blood-fuelled lighthouse.
I listen to the red echo, catch the returning flow
from a giant heart.
Its reflection comes back to me. It dazzles
prison nights.

Something turns in the world. It is the gate
of the Man which opens up
to a blaze of light with one cry.
And the Man emerges. Advances. Looks at Spain.
Looks until blinded with love.

In chains he sees,
bleeding on a cross, his own image.
The land is crying out.
The sky, the sea, the air.

I climb up the walls of pain. I raise
my arms, like stripped branches.

Come here, here! This is the blood of Spain!
I scream, scream again in the voice of a drowning man.
Forgive me this anguish, forgive me.

Romance para las doce menos cuarto

Noche vieja en la prisión de Burgos

Camaradas, a las doce,
todos los pulsos en hora.

Que suenen como campanas,
en una campana sola.
Que fundan los corazones
en un corazón y todas
las ramas del pulso sean
árbol de luz en las sombras.

Amigos todos en pie:
sobre las montañas rojas
de nuestra sangre sin yugos,
la voz erguida en la boca.
Si alguno siente que tiene
las alas del pulso rotas
¡que las componga! a las doce,
todos los pulsos en hora.

¡Oíd, yunteros del alba!
¡Oíd, pastores de auroras!
Para conducir el día
hacen falta caracolas
con dura canción de ríos;
que en las manos creadoras
vayan firmes las cayadas,
ir apartando las horas
y derribando la esfera
donde el tiempo nos destroza.

Ballad at a quarter to midnight

New Year's Eve in Burgos gaol

Comrades, at midnight,
All our pulses beat as one.

Let them sound like bells,
as one lone bell.
Let our hearts merge
into one heart and all
the branches of that one pulse become
a tree of light in the shadows.

Friends, on our way:
over the mountains, red
with our blood, without our yokes,
voices raised high.
If anyone feels that his wings
of hope are broken,
let them be made whole! At midnight,
all our pulses beat as one.

Listen, ploughmen of the dawn!
Listen, shepherds of daybreak!
The day should be led in
at snail's pace,
with the insistent song of rivers;
so in creative hands
the shepherds' crooks will be firm;
the hours of the day will pass
breaking up the world
where time destroys us.

Hay que hacer nudos al alma,
deja huellas en las rocas,
esconder la espuma, el junco,
la breve luz de las hojas
donde la luna se duerme...
¡Ser ascua vertiginosa,
piedra viva, monte y río,
corazón de cada cosa!

Camaradas, a las doce,
todos los pulsos en hora.

Si arena tienen los tuyos;
si grietas tu voz, ya ronca
de golpear contra el muro;
amigo, si te desplomas
como una hierba apagada,
bebe en la arteria sonora
de tu bandera, en la herida
de tu pueblo, en cada gota
de su sangre fusilada.

Sube desde tu derrota;
desde su cruz sumergida,
como un relámpago a proa;
desde sus huesos al pulso,
desde la raíz más honda
firmemente en la palabra
donde la fe se enarbola.
¡Despierta el rayo dormido
que en tu corazón reposa!

We should join together at dawn,
leave footprints on the rocks,
turning from the surf, the reeds,
the scant light through the leaves
where the moon sleeps...
To feel giddy,
a living rock, mountain and river,
heart of everything!

Comrades, at midnight
All our pulses beat as one.

If yours are full of sand;
if your voice cries out, now roar
beating against the wall;
friend, if you collapse
like a withered blade of grass,
drink from the artery
calling from your banner, from
the wounds of your people, in each drop
of blood spilled by guns.

Rise up from your defeat,
from your sunken cross,
like a flash of lightning at the prow;
from your bones to your pulse,
from the deepest root
resolutely to the word
where faith is hoisted like a banner.
Arouse that sleeping beam of light
now lying within your heart.

Camaradas, a las doce,
todos los pulsos en hora.

A las doce todos uno.
Las campanadas redondas
con las hogueras del pulso
harán una sola antorcha.
Almas de acero encendido
que al mismo viento tremolan,
forjan el día en un yunque
de dolor, con recio aroma
de amaneceres que nadie
podrá arrancarnos...

No hay tromba de paredones,
ni balas, ni rejones, no habrá sogas
capaces de hacernos bueyes:
¡Nuestro cuello no se dobla!

Miradnos aquí, miradnos,
mientras los muros sollozan,
cruzar el año cantando,
rompiendo 'noche española'
acariciando los hombros
de un crepúsculo sin costa.

Miradnos aquí, miradnos,
mientras los muros sollozan,
¡Siempre de pie!, sin rodillas,
como encinares de gloria.

¡Camaradas, a las doce,
todos los pulsos en hora!

Comrades, at midnight
All our pulses beat as one.

All one at midnight.
The bells pealing everywhere
with our burning pulses
will make one single torch.
Souls of steel in flames
that flare up in the same wind,
forge the day on an anvil
of pain, with the pungent smell
of dawns when no-one
will be able to stop us...

No more lining us up against walls,
no bullets, no lances, there will be no ropes
for us to pull like oxen:
Our necks will not bend to submit.

Look at us here, look at us,
while the walls are sobbing,
cross into the new year singing,
breaking into 'Spanish Night'
our shoulders draped
in endless twilight.

Look at us here, look at us,
while the walls are sobbing.
Always standing straight, never kneeling,
like magnificent oaks.

Comrades, at midnight
All our pulses beat as one!

Imaginaria

al pintor Miguel Vásquez al que sorprendí una noche llorando
en la cárcel de Burgos.

Oídme amigos. He visto
con los ojos soñolientos
algo que quiero contarlos.

Es la madrugada. Un preso
en frente de mi despierta.
Se incorpora sobre un codo.

Lía un cigarro. Se sienta.
Mientras fuma tiene ausente
la mirada, como dormida la frente.
(Sueña el viento en la ventana)

Tira el cigarro. Se inclina.
Saca un pedazo de pan,
se lo come lentamente
y después... rompe a llorar.

(Quizás no tenga importancia...
Yo os lo cuento)
Ya sabéis que a mis las losas
me han gastado hasta los huesos
del corazón,
pero ver llorar a un hombre
es algo, siempre, tremendo.

Nightwatch

to the painter Miguel Vásquez whom I surprised one night,
weeping in Burgos prison.

Friends, listen to me. Through
sleepy eyes I was able to see
something I want to tell you.

It's just before daybreak.
A prisoner, sitting facing me.
leaning on an elbow, wide awake.

He lights a cigar. He remains seated.
While smoking, he has no
expression, as if asleep.
(The wind sleeps at the window)

He throws down the cigar. Leans forward.
Picks up a scrap of bread.
Chews it slowly
and then... bursts into tears.

(Perhaps it isn't important...
I'm telling you this)
You know already that the stone
slabs have worn me down
to my very soul,
but to see a weeping man
is something else, always, fearful.

Y este preso no es un árbol
que se ha roto. Sigue ileso.
Pero de pronto ha venido
todo lo 'suyo' a su encuentro
en esta noche tranquila...

Con su dolor en mi pecho
le miro. No puede verme.
Sus ojos están muy lejos,
sus ojos cerca, llorando
tan suave, tan hondamente
que apenas si mueve el aire
y el silencio.

Un 'alerta' le estremece.
(Por el patio
se oye cruzar el relevo)

And this prisoner is not a tree
that has been felled. He's still unhurt.
But suddenly everything
about him is here as we meet
on this quiet night...

With his sorrow in my breast
I watch him. He cannot see me.
His eyes look to the distance,
but close by, are weeping
so softly, so deeply
that it hardly moves the air
or the silence.

An alarm disturbs him.
(Crossing the prison yard
can be heard the relief guard.)

Navidad en la Prisíon de Burgos

Ya alcanzan las gargantas sus almenas,
ya giran en su noria las canciones...
y van indiferentes cangilones,
llenándose en el pozo de mis penas.

Me hacen daño estos gritos. Son arena
para mis ojos. Sobre mi pecho arpones
de ausencia y de recuerdo. Costurones
abiertos en la carne, y en las venas
un dolor de la sangre muda y cana.

Vuelvo a mi soledad. A mi consuelo,
a un libro de Machado, a su Castilla,
(hermana de mi alma, seca y llana)
a sus pueblos tan tristes, a mi anhelo
como su tierra calva y amarilla.

Christmas in Burgos Prison

Now our cries fly high above the roof,
and in the waterwheel songs are turning...
and they go on, the blades uncaring,
scooping deep into the well of my grief.

Those cries are hurting me. They are grains
of sand in my eyes. Harpoons are plunging
absence and memory in my chest, opening
lesions in the flesh, as if cut by a knife
and in my veins the blood aches, silent, grey.

I return to my solitude. To console me,
a book, Machado, about his Castilla,
(sister of my homeland, dry and low)
its sad townships. And I long to see
its landscape, bare and yellow.

A España en su jornada por la amnistía

Como un mar imponente, en oleadas,
suben hasta mi herida fosa oscura
el clamor de la gente, esa hermosura
de luminosas lenguas desatadas.

Mi voz quiere ir contigo, España. Es dura
esta mudez impuesta por espadas.
Duras son las palabras sepultadas
bajo el silencio alzado en dictadura.

Mira mis manos: crujen contra el muro,
en busca de una luz, una ventana,
llagas de sombra y de dolor oscuro.

Y oye a mi corazón – rota campana –
sonar contra las piedras, ya maduro
de espera en la pena tu mañana.

To Spain in her struggle for amnesty

Like a mighty sea, with a swelling tide,
flowing to the torture of my grave, I heard
the outcry of the people, pressing forward
in the clear beauty of tongues untied.

My voice wants to go with you, Spain. It's hard,
this dumbness forced at the point of a sword.
Hard too are all the words, buried
in silence under the dictator's hand.

Look at my hands: in search of a window
for some light, they scrape against the wall,
dark wounds of suffering and shadow.

Listen to my heart – a cracked bell – for all
it rings against the stones, it will grow
old, waiting sadly for your wake-up call.

Amnistía

Los pájaros van grabando
por el aire esta palabra,
las olas, sobre el mar,
las aldeas en la espalda
blanca y húmeda del rio,
el pastor en la montaña.

Los niños tallan las letras
con sus pequeñas navajas,
en la corteza del pan,
en los árboles y tapias.

Hay mujeres que en sus labios
con triste amor la desgranan;
otras, que clavan su grito
como una bandera blanca.

Los estudiantes la esparcen
con aromas de pizarra;
en las ciudades asciende
con el humo de las fabricas;
el viento la va dejando
en las calles y en las plazas,
en las veletes y torres
prendida en las cruces altas...

Tres 'esputniks' por el cielo
recogen firmas doradas
de las estrellas, y escriben
en español la palabra.

Amnesty

The birds are engraving
the air with this word,
the waves too, over the sea,
villages on the banks
of the white, damp riverside,
the shepherd on the mountain.

Children carve the letters
with their little knives,
into a crust of bread,
on trees and garden walls.

There are women whose lips
sadly, with love, repeat it;
others who nail up their cry
like a white banner.

Students scatter it
with dust from the chalkboard;
in the cities it rises
with smoke from the factories;
the wind leaves it
in the streets and squares,
on weathervanes and towers
caught on high crosses.

Three sputniks in the sky
gather gilded signs
from the stars and write
the word in Spanish.

¡Buscad acero!

Aún es de sueño la llave,
y sólo aroma la puerta.
¡Amigos, buscad acero;
forjad la llave maestra
con la voz del pueblo entero!

La llave de la amnistía,
para el corazón del hombre
prisionero en la agonía.

Aún es de viento la llave,
y sólo silba en la puerta.

¡Amigos, buscad acero;
forjad la llave maestra
con la voz del pueblo entero!

La llave de la amnistía,
para el alma que florece
llanto en el revés del día.

Aún es de llanto la llave,
y se derrama en la puerta.

¡Amigos, buscad acero;
forjad la llave maestra
con la voz del pueblo entero!

La llave de la amnistía,
que de par en par nos abra
los campos de la alegría.

Search for steel!

The dream is still of the key,
but the only smell is the door.
Friends, search for steel;
forge the master key, to power
the voice of all our people!

The key of amnesty,
for the heart of the man
imprisoned in agony.

It is still just a breath of wind, this key,
and only whistles at the door.

Friends, search for steel;
forge the master key, to power
the voice of all our people!

The key of amnesty,
for the soul that still lives
weeping on the wrong side of day.

Still we weep for the key,
for it to fall from the door.

Friends, search for steel;
forge the master key, to power
the voice of all our people!

The key of amnesty,
that will open wide our way
to the fields of joy.

Romance de la amnistía

¡Que duro es morir clavado
en el muro de agonía,
ir quemándose las plantas
sobre losas de cal fría,
sentir granada la sangre –
trigo rojo sin espigas –
y un portazo de recintos
siempre contra las pupilas.

Que salga el preso, que beba
la luz y el aire su herida,
que sus pies pisen el campo
donde los pinos respiran,
que recorra las veredas,
río abajo, monte arriba;
que sus manos sientan hombros
clamorosos de alegrías
y sus labios, fresca hierba
de cabelleras floridas;
que al salir lea en las torres
la palabra siempre viva
de su libertad grabada
y en los árboles escrita;
que los montes, que los ríos,
que toda esta geografía
de tierra indomable sea
una pancarta extendida,
una sola voz gritando
sobre la mar: ¡amnistía!
¡Las puertas de par en par!
¡Los presos fuera: a la vida!

The story of amnesty

How hard it is to die pinned
to the wall of agony,
to be burning the soles of your feet
on paving slabs of cold limestone,
to feel the blood congeal –
red grain, lifeless –
and doors slamming
always in our faces.

Let the prisoner step out, so his wounds
drink in the light and air,
and his feet walk in the country
where the pine-trees breathe,
taking the pathways again,
the river below, mountain above;
hands slapping shoulders
shouting with happiness
through the scent of fresh grass,
an abundance of flowers;
on his release, let him read
the word of freedom forever alive,
engraved on towers,
carved into trees;
let the mountains, the rivers,
every physical feature
on this untameable earth
become a banner, displayed,
a single voice shouting
across the sea: amnesty!
Doors open wide!
Prisoners outside: into life!

¡Que les devuelvan sus alas
que las sombras asesinan!
¡Basta de cadenas, basta!
¡Que España entera lo diga!
¡Contra los muros los 'vientos
del pueblo' por la amnistía!

May wings be returned
that were cut away in the shadows!
Enough of chains, enough!
Let the whole of Spain speak out!
Against the walls the 'winds
of the nation' call for amnesty.

¡Solidaridad para España!

Los ríos vuelven sus aguas,
ya no caminan al mar:
nos traen del mar esperanzas.

De todos los mares suben
olas fraternas. España
llena su gran corazón
con banderas rojas, blancas,
de tres colores, azules
como la luz, esmeraldas,
con estrellas o leones.
con martillos o con barras.

Olas de 20 confines
suben derechas a España.

Los ríos vuelven su curso
y hacia adentro se derraman
con la emoción de otras costas
en el corazón del agua.

Hoy tiene mi verso, amigos,
voz de mar en su garganta.

El mundo firma en las olas:
¡Fraternidad con España!

Solidarity for Spain!

The rivers turn back their waters,
not travelling now to the sea:
they bring us hope from the sea.

From all the seas rise
fraternal waves. Spain
fills its great heart
with flags of red, white,
tricolours, blue
as the light, emerald,
bearing stars or lions,
with hammers or stripes.

Waves from twenty distant borders
come directly to Spain.

The rivers reverse their course
and inland they pour out
emotion from other coasts
from the heart of the water.

Today speaks my verse, friends,
the voice of the sea in its throat.

The world inscribes in the waves:
Fraternity with Spain!

Canto absoluto a la libertad

Su herida golpead de vez en cuando;
no dejadla jamás que cicatrice.
Que arroje sangre fresca su dolor
y eterno viva en su raíz el llanto.

Si se arrancar a volar, gritadle a voces
su culpa: ¡que recuerde!
Arrojadle pellas de barro oscuro al rostro.
Si en su palabra crecen las flores nuevamente,
pisad su savia roja
hasta que nazcan lívidas, como manos de muerto.

Talad, talad: que no descuelle
su corazón de música oprimida.

Porque esa es vuestra ley, tan extraña a la mía:
si un río alza para hablar con la luna,
ponedle un dique oscuro.
Si una estrella olvidando su distancia se mece,
en los agraces labios de un muchacho,
denunciadla a los astros.
Cuando un corzo se beba la libertad y el bosque,
atadlo como a un perro.

Si hay algún pez que aprendiera a vivir sin el agua,
negadle orilla y tierra.
Si el alba se deslumbra de claridad alada,
clavad las hojas verdes de la noche en sus ojos.

Si hay un hombre que tiene
su corazón de viento,
llenádselo de piedras
y hundidla la rodilla sobre el pecho.

The complete anthem to liberty

Strike its wound from time to time;
be sure you never lose the scar.
Let fresh blood splash the pain red
and the weeping remain to its very roots.

If it breaks away to fly, scream
its guilt aloud: it must be remembered!
Throw handfuls of dark mud in its face.
If the flowers bloom in its speech again
squeeze out their sap
until they turn livid, like the hands of the dead.

Cut, cut it down: do not allow
oppressed music to rise from its heart.

Because that is your law, so different from mine:
if a river rises to speak to the moon,
block it with a dark dam.
If a star, forgetting its distance, touches
the naïve lips of a young man,
denounce it to the constellations.
When a roe deer tastes freedom in the forest,
tether it like a dog.

If some fish wants to learn to live without water,
deny it the riverbank and the field.
If the dawn is dazzling with winged clarity
pin the green leaves of night to its eyes.

If there is a man whose heart
is light as the breeze,
fill it with stones
and kneel on his chest, crush him.

Elegía a Luciano Parrondo

*Que murió en la prisión de Burgos a los veinte años
de cautiverio*

Parrondo, amigo mío:
hace ya 20 años que te vi y te recuerdo
cantando sobre el filo de la muerte que huía.
Éramos arroyuelos, con el alma desnuda,
creciendo, en avenida.

No pesaban los muros:
hacia la mar seguían tu corazón y el mío,
ensanchando riberas,
con un alba en los ojos,
dejando nuestro paso banderas y alegrías.

¡Qué juventud la tuya!
En tu cuerpo aterido por la muerte se mira
mi juventud perdida,
ganada frente a todo...
Ay, Amigo:
Mi corazón resiste; tu bandera ya es mía;
empaparé mis manos en tu sangre callada
y marcaré los astros con tu muerte y mi vida.

Yo ya creo que el mundo
tiene perdida el alma.
¿No escucha este cuchillo
que indiferente mina nuestra espalda
y nos hunde su filo hasta la muerte?
Mi corazón se obceca, resiste todavía:
más cuelga de su puerta tu ruiseñor callado
y vierte un llanto rojo donde tu luz se enfría.

Elegy to Luciano Parrondo

Who died in Burgos prison after twenty years
in captivity

Parrondo, my friend:
Twenty years ago I first saw you. I remember
you singing as you escaped from the edge of death.
We were small sparkling brooks, our spirit on show,
growing steadily, into the mainstream.

The walls did not hold us back:
on to the sea flowed your heart and mine,
pushing back the river banks,
with a new dawn in our eyes,
leaving behind us banners and stirring songs.

What a young life you had!
In your body, rigid in death, I can see
my lost youth,
ready for anything...
Oh, my friend:
my heart fights on, your flag is mine,
I shall drench my hands in your stilled blood
and mark the stars with your death and my life.

I now believe that the world
has lost its soul.
Don't you hear this knife
dispassionately digging into our backs
its sharp blade sinking into our death?
My heart is stubborn, resisting still:
and hanging in your doorway is your nightingale, silenced,
but it pours out a red lament where your light has frozen.

¿Por qué no para el mundo este reloj sangriento?
¿No oye sus campanadas donde los hombres gritan?

Mi voz no puede alzarse,
le falte tu estatura.
No hay poeta que cante nuestra muerte infinita.

Hay hachazos tan duros que cortan la palabra.
En esta tierra nuestra ya todo se asesina.
Por el fuego sangrante de su herida implacable
mi voz quema sus brazos trepando hasta tus cimas.
Más no llega mi acento.

No hay lengua traspasada por el dolor
que pueda recompensar tu vida.
No hay voz para tu muerte.
(Quizás tu madre, acaso, llorando sea el poema,
que pide esta elegia.)

Más tu rostro insumiso seguirá con nosotros.
Clamará en las campanas del corazón, y un día
será tea en las cumbres del pensamiento indómito,
muchacho azul, eterno laurel de la sonrisa.

No apagaran tu nombre. Arderá en mi palabra,
escarbaré en el llanto y asido a sus raíces
te subirá en sus hombros mi voz al Nuevo Día.

Why is time not bleeding for the world?
Doesn't it hear the ringing out of men screaming?

I can't raise my voice enough;
it can't match your standard.
There is no poet who chants our endless death.

Axes strike so hard that they cut off speech.
In our own land everything is killed.
Through the bloody fire of your fatal wound
my voice burns trying to reach your heights.
My language cannot get there.

No tongue has been through enough pain
to compensate for your life.
There is no voice for your death.
(Maybe your mother, perhaps weeping
becomes the poem and needs this elegy.)

Yet the rebellion in you will be with us still.
It will ring in the bells of the heart, and one day
will be the torch at the heights of free thought,
shining youth, eternal prize of your smile.

Your name will not die, but blaze on in my words.
I will scour the depths of grief and from your roots,
my voice will carry you shoulder high into the New Dawn,

La piedra silente

La piedra silente llora,
el muro cerril, el hierro
de los cerrojos, las losas.
Las cadenas, ya gastadas,
sus eslabones deshojan.
Hasta el carcelero siente
un alma bajo su ropa.

Pero hay un reloj terrible
que estanca sus negras horas
con odio y sangre en la esfera
sin alba de sus mazmorras.

La vida entera nos llama.
Vierten lágrimas las rocas.
Se abren las casas. Esperan
en los umbrales mil rosas.

¡Nuestro amor reclama el niño
con su voz de tiernas hojas!
La libertad va dejando
de voz en voz, clamorosa,
los resplandores de un grito
como una estrella en la boca.

Pero hay un reloj terrible –
ciego Caín sin aurora –
que en su noche de odio y sangre
sigue estancando las horas.
Guadañas son sus agujas
en un cadalso de sombras.

The silent stone

The stone weeps, silent,
the unyielding wall, the iron
in the locks, the slabbed floor.
The chains, worn out now,
their links pulling apart.
Even the gaoler feels
a soul beneath his uniform.

But there is a clock of fear
that holds back its black hours
with hate and blood on its face
showing no dawn in the dungeons.

A whole life calls us.
Tears pour from the rocks.
Houses open up. Waiting
on the thresholds are a thousand roses.

The child regains our love
in a voice tender as fresh leaves!
Freedom is being passed on
from voice to voice, calling out,
dazzling from a shout
like a star calling out.

But there is a clock of fear –
blind Cain with no sight of sunrise –
who in his night of hate and blood
is still holding back the time.
Its hands are scythes
on a scaffold of shadows.

No rogamos clemencia

No rogamos clemencia. Yo no pido
perdón para la vida que me deben.
Odio la voz delgada que se postra
y el corazón que llora de rodillas
y esas frentes vencidas, en el polvo,
hecha añicos la luz del pensamiento.

Yo no pido clemencia. Yo no junto
las manos temblorosas en un ruego.
Arden bosques de orgullo en mi palabra
cuando exigen que las puertas
de la venganza oscura se derriben
y a los hombres descuelguen de sus cruces.

Yo no pido clemencia. Yo denuncio
al dictador cadáver que gobierna
la vida de los hombres con un hacha
y ahora quiere dejar para escarmiento
mi cabeza cortada en una pica.

Yo no pido clemencia.
Doy banderas.
paso de mano en mana el golpeado
corazón de mi pueblo prisionero.

We do not beg for clemency

We do not beg for clemency. I do not ask
for pardon for the life owed to me.
I hate the meagre voice that humbles itself
weeping from the heart, kneeling
and those brows forced down, into the dust,
the light from thinking shattered.

I do not ask for clemency. I do not join
my hands together in a petition.
Forests of pride burn in my words
when they demand that the doors
of vengeance are thrown open
and men climb down from their crosses.

I do not ask for clemency. I denounce
the deathly dictator who rules
the lives of people with an axe
and now wants to leave as a warning
my severed head on a spike.

I do not ask for clemency.
I hand out banners.
I pass from hand to hand the beaten
heart of my imprisoned people.

Malditos sean

MALDITOS SEAN:
Los que atizan el fuego entre las piedras del Odio,
para hervir su puchero.

MALDITOS SEAN:
Los que quieren enturbiarnos la sangre con el viejo
terrón de la trinchera.

MALDITOS SEAN
Los que cosen banderas con cenizas de muerto para
sembrar el aire de rencores.

MALDITOS SEAN
Los quieren dejarnos para siempre en los bordes
opuestos de una herida.

MALDITOS, SI.
Malditos en tu nombre
España, sean,
porque viven de tu pena y la mía
y hacen de nuestro dolor su trono.

Damn them

DAMN THEM:
Those who stoke up the fire between the stones of Hate,
to cook their stew.

DAMN THEM:
Those who want to mix blood with the old clod of earth
from the ditch.

DAMN THEM:
Those who sew banners with ashes of the dead to spread
the air with bitterness.

DAMN THEM:
Those who want to leave us forever on opposite sides
of a gaping wound.

DAMNED, YES:
They should be damned
Spain, in your name
because they live on your suffering and mine
and from our pain make their throne.

Asturias

Mineros del mundo ¡Alerta!
Del corazón de las minas
subid a la luz de España
porque Asturias está en Huelga.
Asturias, siempre en Asturias
de los pies a la cabeza.

Jamás un tirano puso
de rodillas a esta tierra.
Quisieron cegar con plomo
la mina de su firmeza,
castrar con ingles oscuras,
dejar sus venas abiertas...
¡Tanta sangre la arrancaron
que la dieron ya por muerta!

Pero está viva y nos llama
su rojo pasquín de Huelga.

Hoy tiene España en su frente
una lámpara minera.
¡Que no asesinen su fuego!
Que vuestro viento lo extienda,
hasta que el torno conteste
y respondan las aldeas.

MINEROS del mundo ¡Alerta!
Del corazón de las minas
subid a la luz de España
¡porque Asturias está en Huelga!

Asturias

Miners of the world, attention!
From the heart of the mines
rise up to the light of Spain,
because Asturias is on strike.
Asturias, forever Asturias,
from top to bottom.

No tyrant will force
this land to its knees.
They wanted to seal the mine
from its resolutions with lead,
to pull out their dark nails,
leave their veins open...
So much blood was spilled
that they left it for dead!

But still it lives and calls to us
with its red notice of Strike.

Today, on its brow Spain bears
a miner's lamp.
Don't let that light be extinguished!
Let your breeze reach out
until the drum replies
and the villages call back.

MINERS of the world – attention!
From the heart of the mines
rise up to the light of Spain
because Asturias is on strike!

Aquí me quedo yo

Aquí me quedo yo,
cuidando la bandera,
en esta tumba solitaria y fría,
con los muros clavados en mi carne
y las venas abiertas al dolor de mi agonía.
Mis ojos en la Noche irán buscando
una grieta de luz, una salida
o una hierba de sol consoladora.

Camaradas, adiós,
adiós, amigos,
llevad mi corazón en vuestros manos,
repartidlo con amor entre los míos,
contad sus mordeduras,
abrídmelo en canal, que el mundo sepa
a que pecho vacío pertenece,
de que preso a cuajo fue arrancado.

Vuestra firma estampad en estas piedras,
jurad volver por mí, juradlo a voces,
hasta que el mundo tiemble y la promesa
se vuelva corazón vivo en mis manos.

Salud a los que os vais hacia la vida,
árbol de libertad, los que quedamos
avizorando iremos vuestra senda,
con fe en el compromiso que juramos.

I am still here

I am still here,
protecting the flag,
in this lonely, cold tomb,
with walls pinned to my flesh
and veins open to the pain of my ordeal.
In the night my eyes will search
for a crack of light, a way out
or a shred of consoling sun.

Comrades, farewell,
farewell my friends,
take my heart in your hands,
share it with love among my people,
show how it was wounded,
open it up for me, so the world may know
to whose empty chest it belongs,
from which prisoner it was torn.

Stamp your seal on these stones,
swear to come back for me, swear it out loud,
until the world trembles and promises
that my heart will return alive in my hands.

Good health to you who go on living,
with the tree of freedom, while we are left
keeping watch as we follow your path,
with faith in the covenant we swear.

A la mujer del preso

Hacia la vida voy. Mujer, te llevo
como un ala de lumbre a mi costado.
Tus manos junto a mí, cuenco dorado
de luz y de esperanzas donde bebo.

Oh, palmas clamorosas donde pruebo
el frescor de tu río desvelado,
Honda rama de amor, dulce cayado,
descanso de mi sien, verde renuevo.

La fuerza de su sangre en mis venas,
un ímpetu de mar, y tu alegría
florece en las laderas de mis penas.

¡Oh, lealtad, amor, roja energía
que puede con el muro y las cadenas
y hasta el viento de espaldas tumbaría!

To the prisoner's wife

You bring me back to the living. Wife, I see
you like a wing shining at my side; sensing
your hands in mine, I can still cling
to light and hope from which I drink deeply.

Oh, hands applauding when you show me
the sparkle of your unsleeping river,
Strong branch of love, gently you revive
and soothe my thoughts, they can be free.

The force of your blood is in my veins
powerful as the sea, your happiness can find
a way to flower on the edge of my pain.

Such love, red strength, faithful and kind
can take away the wall and the chains
and cast them behind us, to the wind.

A los 20 años

Tengo tu pulso, España, entre mis dedos
y oigo a tus ríos sortear las horas fratricidas,
los sangrantes paisajes que en tus aguas
derramaron como rayos furiosos tus riberas.

Ya siento que tu nieve se descalza,
que purísima y verde bajo al río,
que su caudal de cumbres desmorona
viejas torres de sangres obcecadas.

Mi sueño ve que el aire va perdiendo
su vestido de andrajos enconados,
su rencorosa piel y entre los pinos
se desnuda y cantando como un niño
nos ofrece el plumón de su pureza.

¿No ves la luz que aún sangra en los cristales
agredidos del alba, rota en tiemblos
de la luna y madrugada?

Yo quiero que esta luz se descortece
de sus sombras,
que en mis manos se vierta en carne viva,
beber su lumbre azul, que en los hogares
ilumine por dentro hasta el más íntimo
corazón de las cosas.

20 years on

I have your pulse, Spain, at my fingertips
and I hear your rivers avoiding the times of fratricide,
the blood-soaked landscapes that in your waters
spill over your banks like furious lightning.

Now I sense that your snow is clearing,
that it melts down pure and fresh to the river,
streaming from the peaks it erodes
old towers of congealed blood.

My dream sees the air shedding
its ragged garb of spite,
its outward bitterness, then amongst the pines,
naked, singing like a child
with the purity of the softest down.

Don't you see the light that still bleeds in windows
shattered by dawn, broken into splinters
of moon and daybreak?

I want this light to cut away
its shadows,
and in my hands turn into living flesh,
to drink from its radiance, and in homesteads
shine inside to the most intimate
heart of things.

Para las llaves aún falta

Primera fueron de sueño,
después de viento, las llaves,
ahora de patria y de pueblo.

Pero los muros son altos
y los ventanales ciegos,
las cerraduras hostiles
conchas cerradas de hierro.

Hace falta un gran martillo.
Un yunque. Manos de fuego.
Que España entera en la fragua
de su corazón deshecho,
forje con su voz maciza
las llaves del prisionero.

Porque los muros son altos
y los ventanales ciegos,
las cerraduras hostiles
conchas cerradas de hierro.

Y hay odios viejos que oxidan
los cerrojos contra el pecho
y venganzas que aún rezuman
por su corazón veneno.

Pero más amor y estrellas
brillan en el firmamento.
Mas corazones relumbran
como la fruta de un huerto,
cargada de sol y aroma
la paz de su pensamiento.

The missing keys

First, they came in a dream,
following the wind, the keys,
now for homeland and the people.

But the walls are high
and the windows sightless,
the locks hostile
closed shells of iron.

A great hammer is needed.
An anvil. Hands of fire.
Spain should enter the workshop
of her broken heart,
forge with the power of her voice
keys for the prisoner.

Because the walls are high
and the windows sightless,
the locks hostile
closed shells of iron.

And there are old hatreds that rust
the bolts against the breast
and thoughts of vengeance that trickle
still through her poisoned heart.

But love shines once more
with the stars in the firmament.
More hearts swell with warmth
like fruit in an orchard,
packed with sunshine and the scent
of peace in the mind.

Estas puertas aún resisten
voces aisladas, lamentos...
Pero sus goznes rechinan,
sus cerrojos están secos,
se partirán como cañas
bajo el viento, cuando el viento
lleve en sus silbos las llaves
unidas de todo el pueblo.

These doors still hold back
solitary voices, laments...
But their hinges creak,
their bolts are dry,
they will snap like weeds
in the wind, when the wind
carries in the keys
to unite the whole nation.

No habrá piedras para tanta frente

Y no creas, España, que mi voz
es solo un hueso blando o derribado,
un corazón que de rodillas gime,
una idea sin luz, desalentada
o el ocaso del pulso que sostiene
verticales la sangre y las banderas.

Es por amor a ti
el amor que ahora pido.
Que es un clavo en mis ojos verte herida,
quejándote en la sombra,
caminando como una pobre bestia
tras de la luz del mundo, oscuramente.

No es que acabo mi fuerza. Por mis venas
corre el tesón rotundo de tus siglos
y no hay muros que rompan mi palabra.

Si mil veces naciera, si mil veces
ante mis pies se abrieron los caminos,
con tus ojos, España, me verías
mil veces más besando mis emblemas
vuelto a ser corazón y frente sólo.
¡No hay cadena bastante! Aunque la muerte
a estocadas mi fuego acometiera,
y arrancase de cuajo tanta vida,
mi voz, desde mis huesos, se alzaría
hecha escribo del alba y meridiano
para indicar al Hombre su mañana.

Es por amor a ti. No puedo verte
en las manos extrañas que te abonan
con estiércol feudal tu larva pura.

There will be no stones for such a barrier

And do not think, Spain, that my voice
is just a soft or broken part of me,
a heart forced to submission,
a dull idea, kept in the dark
or a failing pulse trying
to keep blood flowing and flags raised.

It is for love of you
the love that now I need.
How it pierces my eyes to see you wounded,
moaning in the shade,
stumbling like a poor beast
behind the light of the world, bewildered.

My strength is not exhausted. Through my veins
runs the certainty of your centuries
and there are not walls to break my word.

If I were born a thousand times, if a thousand times
the roads would open for me to walk,
with your eyes, Spain, you would see me
a thousand times, kissing my badge of belief
restored in heart and mind.
No chain is enough! Even if death
blow by blow puts out my fire,
and tears out so much of my life by the roots,
my voice, from my bones would rise,
stepping up from the dawn and in full light
to show Mankind its future.

It is for love of you. I cannot see you
in the alien hands that sow
your pure seed in feudal dung.

Los hijos que te miren y no sientan
ese dolor de verte postergada
a ser Patria del llanto y de la pena,
no merecen tu nombre; sus raíces
se han quedado sin tierra y sin orgullo
y clavan sus banderas en el aire.

(Que hoy es clavar astiles en la nada
imponerte un color, cuando estás muerta)
Y no rindo el fulgor de mi bandera,
la sigo con el alma y no traiciono
su rojo son de sangre iluminada.
¡Ay si pudiera España, tus desgarros
curar con mi bandera solamente
y apoyado en su astil abrir tus alas!

Mas sé que no es bastante,
que uno a uno a tus hijos necesitas,
en un tropel tus tierras y tus gentes.
Por eso pido amor.
Sobre tu sien, de fiebres agolpadas,
quiero quemar el odio y las ofensas
y perdonar la vida que me deben.

Sólo seré martillo nuevamente,
hacha mortal si fuese necesario,
contra la garra hirsuta que te oprime,
que tus Horas detuvo en la agonía
que te arrastró al infierno donde vende
tu estructura de sol a las tinieblas.

The children who look at you and do not feel
that pain from seeing you held back,
living in a country of weeping and suffering,
do not deserve your name; your roots
have been deprived of land and pride
and they nail their banners on empty air.

(Today coffins can be thrust into the void
to bring you colour, when you are dead.)
I do not surrender the inspiration of my flag,
I follow it with my soul and do not betray
its red sound of brightly shining blood.
Oh, if only you were able, Spain, to settle
your grievances with my flag alone
and lifted from your coffin unfurl your wings!

But I know it is not enough,
that you need your children, face to face,
and are desperate for your land and people.
For this I beg for love.
As fevers crowd into your head,
I want to burn the hate and the insults
and be forgiving for the life I am owed.

I will only become a hammer again,
a human axe if necessary,
against the beastly tribe that oppresses you,
that locked your prayers in agony
that dragged you to the inferno where it sells off
your creation of sun to the darkness.

Nueva defensa de Madrid

¡Madrid vuelve, madrileños!
¡Madrid asoma sus fuerzas!
la capital de la gloria
rompe el sueño de sus venas.

Madrid que nunca se diga...
madrileños, nuestra tierra
levanta el brazo y responde.
Madrid acude, está presta.

Su corazón va dejando
proclamas en las iglesias,
en las fábricas y calles,
en oficinas y tiendas.

La Universidad derrama
olas calientes de gesta.
El Manzanares relumbra
su antigua y húmeda estrella.

Madrid, el mundo te mira.
No olvides jamás. Recuerda
que España uniendo su sangre
fue cerrojo de tus puertas.

Levanta tu brazo ahora
sobre Castilla y estrecha
la roja mano de Asturias,
capitana de protestas.

A new defence of Madrid

Madrid is on her way back, citizens!
Madrid is showing her strength!
The glorious capital
is breaking the dream from her veins.

Madrid, though you never say it...
people of Madrid, our land
raises its arm to respond.
Madrid is present and ready.

Her heart is setting out
proclamations in the churches,
in the factories and streets,
in offices and stores.

The University is pouring out
warm waves of memory,
while the Orchards relight
their old and fruitful star.

Madrid, the world is watching.
Don't ever forget how Spain stood
uniting in the flow of its blood
locked outside your gates.

Raise your arm now across
Castile and reach out for
the red hand of Asturias,
captain of protest.

Por el asfalta camina
un nuevo Madrid que aprieta
los corazones en uno,
que levanta las banderas
de la libertad, sumadas,
pacíficamente abiertas.

Madrid está en pie.
Sus gentes hierven luz,
relampaguean.
Madrid tiene la hermosura
de un rojo pasquín de huelga.

Madrid está aquí, ya vuelve.
Madrid asoma sus fuerzas.
¡La capital de la gloria!
¡El Madrid de la defensa!

Along the asphalt road
comes a new Madrid to press
all hearts into one force,
and to raise the flags
of freedom, now united,
openly and in peace.

Madrid is on its feet,
its people simmer with light,
they shine with hope.
Madrid compels attention like
a red poster calling for strike.

Madrid is here, she has returned.
Madrid is gathering its strength.
The capital of glory!
The Madrid ready to defend!

Mis Años

¿Mis años?, siglos ya... Rueda abatido
mi tronco juvenil; sus flores rojas...
¡Árbol que tanto amé!, te desarropas
de aquél tu verde sol que por vestido...

¡Oh!, árbol generoso, si aún tendido
tu costado es más alto que otras copas,
si más sombra y cobijo dan tus hojas,
más consuelos dan al nido...

No hubo viento capaz de desasirte,
ni rayo que rasgara tu firmeza,
ni otoño que lograra desflorarte...

Sólo tu corazón pudo abatirte,
tu corazón desnudo de corteza...
Apriétatelo y vuelve a levantarle.

Age

How old am I? Centuries now... It was sawn
through, my young tree-trunk: its flowers so red...
The tree I loved so much! I watch you shed
that fresh covering provided by the sun...

Such a generous tree; even felled in the forest
you stand taller than the crowns of any other,
your leaves giving more shade and shelter,
your branches more support for the nest.

There was no wind able to tear you down,
nor rays of lightning able to strike,
your foliage would survive autumn.

Only your heart could bring pain,
your tree's heart stripped of its bark...
squeeze it and it will lift you up again.

A una niña que me envió unos versos

No era un poema amiga. Era una tierna rama
sin estructura y viva, lo que temblando vino
como un ave a mis manos.
Eran de agua sus hojas; un diminuto río
sin riberas ni cauce, desabordado y puro
como el sueño de un niño
(las clarísimas gotas de un almendro lejano.
retornaste a mi alma
con tus versos sin ritmo).

Era una fresca rama
lo que llevé a mis labios: lo que mordí un latido
de vegetal perfume.
Era una voz amiga al borde de un abismo,
como un regato alegre, saltando entre las piedras
en el muro sorprendido.

Tu voz sin geometría, sin espumas lunas,
sencillamente abriendo su corazón de lirio,
me habló de la ternura de España, sus mujeres
besando el despoblado tronco de nuestro olivo,
que enarenado en pena de nuestra sangre sube,
herido de horizontes, como un astro bravío.

To a young girl who sent me some verses

Not a poem my friend, but a lithe branch,
unstructured and alive, that came trembling
like a bird into my hands.
Its pages flowed like a fresh brook,
unbound by banks or silted bed, flowing free
and pure as the dream of a child
(the clearest drops from a far-off almond tree,
you return to my soul
with your unstressed verses).

It was a newly-cut shoot
that I raised to my lips: a bite
released a natural scent.
It was a friendly voice on the edge of an abyss,
like a welcome stream, splashing over the stones
of a wall taken by surprise.

Your untrained voice, with no sparkling moons,
simply opening your pure heart
spoke to me of love for Spain, its women
kissing the deserted trunk of our olive-tree
stained with our dried blood,
but rises, horizons damaged, like a wild star.

¿Poeta? Eso me dicen

¿Poeta? Eso me dicen (y en voz baja
me lo digo a mí mismo) No lo creo.
Lo sueña el pensamiento. Si, chispeo...
¡Pero es tan doloroso! Se trabaja

a golpes de alma el fuego. Se desgaja
la vida pena a pena; y va el deseo –
corazón adelante – como un reo
desnudo sobre filos de navaja.

Tomo la luz de un árbol. La tanteo
y se deshoja, oscura. Beso el lodo
y me abraso de luz. Zureo...

Yo llevo un hombre herido en el recodo
más penoso del alma centelleo
su luz entre mis labios... y eso es todo.

Poet? So they tell me

Poet? So they tell me (and if I speak
in a low voice, I tell myself). I'm not sure.
To think is to dream. The spark is there...
But it is so painful! The fire would work

in brief strikes from the soul. Life breaks
down, trouble after trouble and desire
goes – heart first – like a prisoner
on a knife edge, stripped naked.

I take the light from a tree. I measure
that. Leaves fall, darkness. I kiss the ground
to embrace the light. I murmur...

I have become a man with a great wound
twisting my soul, yet a pure
light gleams on my lips... that's all I can find.

Pude caer

fara Ana

Pude caer, como otros camaradas,
mi corazón trizado por el plomo.
Decir adiós, amor, adiós a todo,
tristes estrellas de la madrugada.

Y morir, sin saber que me esperabas,
sin conocer tus labios y tus besos,
ni la erguida ternura de tus pechos,
ni la caricia azul de tu mirada.

Nací para quererte: estaba escrito
en la raíz de un sueño y en tus manos
tejiendo aquella flor que me ofreciste.

La mañana era azul, y quedó herido
mi viejo corazón, enamorado
de un amor imposible: lo más triste.

I could have fallen

for Ana

Like other comrades I could have fallen,
my heart shattered by a lead bullet.
To say goodbye to love, life – all that,
under the mournful stars of dawn.

And to die, not knowing you waited there,
without knowing your lips, to be kissed,
nor the tender uplift of your breasts,
nor your blue eyes caressing with a stare.

I was born to love you: it was found
written in the root of a dream and in your hands,
weaving then offering me that rose.

The morning was blue, and left a wound
in my old heart, forever bound
in an impossible love: my sadness grows.

Si quisiera medirse mi quebranto

Si quisiera medirse mi quebranto
y cantar mi desdicha pena a pena,
le faltaría grano a toda arena
y espacio al infinito para tanto.

Que es mío tu dolor y que es tu llanto
afluente del mío. Y tu condena
acampa por mis ojos u encadena
a una triste mudez mi ardiente canto.

Pues yo quiero tu angustia y la consigo
yendo a tus penas, que en tus penas tengo
penas por pan y penas por bebida.

Que es más leve, si agrando mi castigo,
y en tu andamio de penas me sostengo
añadiendo tus llagas a mi herida.

If I wanted to measure my grief

If I wanted to measure my grief
and count my misfortunes one by one,
the sands of the deserts would lack the grains
and infinite space would not store enough.

For your pain is my pain and your tears
flow with my tears. And your penance
stretches before my eyes and enchains
my passionate song to a dumb sadness.

I want to feel your anguish and this I achieve
by going to your suffering to receive
food and drink, a man doubly imprisoned.

It seems lighter though my burden grows
and I hold on to your scaffold of blows
adding your injuries to my own wound.

Yo sé, mi amor

Yo sé, mi amor, que nuestro amor se apaga
como un fuego si es mal alimentado
y que sólo en humo de rosal quemado
quedará nuestro amor. Aunque yo haga

lo imposible y aún más, por retenerte,
y encender en tus ojos nuevas flores,
será inútil, amor, que los amores
tienen que arder y arder ardientemente.

Y en tus venas la sangre se adormece
y la mía es un toro desvelado
que te busca y buscándote amanece
con una flor de lumbre en su costado.

¡Oh! vende val, mi sangre, que va y viene
como un toro de fuego desmandado...
¡Jamás podrán las manos de la nieve
helar mi corazón enamorado.

I know, my love

I know, my love, that our love is dying
like a bonfire that is badly fed,
and only in the smoke of burnt rosewood
will our love remain. I should be doing

the impossible and still more, to earn
the right to brighten your eyes with fresh flowers,
but it's useless, love, since love affairs
need, with greater heat, to burn and burn.

And in your veins your blood is asleep
while mine is like a bull, awake, wide-eyed...
searching for you, and that wants to keep
searching, with a flower of fire in its side.

Oh, my torrent of blood; it will come and go
like a bull bolting madly from a fire dart...
Never will it be possible for hands of snow
to freeze my impassioned beating heart.

Ausencias

Madrugué por ver al mar
y contigo estar a solas
y a solas poderte amar.

¡Qué triste está la bahía!
rosa de niebla es el puerto
sin la luz que tu encendías.

La mar bate en mis orillas
despojos y caracolas
entre espumas amarillas:
y peces muertos ¡qué pena
si así nuestro amor quedara
tirado sobre la arena!

Todo es silencio, un silencio
que solo rompen las olas
y el verde rumor del viento.

Un barco triste a lo lejos,
solitario cruza el mar
y se me adentra en el pecho...

Y tú tan distante, amor,
que ya no siento en mi pecho
ni el barco ni el corazón.

Absences

I rose early to look at the sea
to be with you in our own world
able to love, alone and still free.

How sad the bay now looks!
The port is no more than a pink mist
without your light beaming gold.

In my ears the sea swirls
flotsam and sea shells
amongst waves foaming yellow:
and dead fish. How tragic
if our love remained
strewn like that across the sand!

All is silence, a silence
that only the waves can break
and the fresh murmur of the wind.

A sad ship in the distance
cruises the sea, solitary,
and penetrates my senses ...

And you, my love, are so far away
that now the ship is out of sight
and I have lost my heart-beat.

Ocaso grana

Quisiera conservar todas mis hojas,
sin esa desnudez fría en las ramas
de hielo y de invierno.
Ser viejo, un árbol viejo. Está bien.

Pero ver todas mis hojas claras,
como el árbol que queda por la luz
de la luna cubierto de plata.

O cubierto en los oros
que el sol retiene con espaciosa calma
en las cimas azules de esas tardes de otoño,
que en dormidos espejos
se mueren reclinadas.

Así mi atardecer quisiera...

No importa que la trama de mis huesos
trasluzca sus pálidos encajes
si es mi corazón roja aurora que canta
la alegría de todos.
Si en mi mano florece la cayada
que cortaron mis hijos
de un álamo encendido por las luces del Alba.

Si curando al viento mis banderas erguidas,
voy caminante, río abajo, hacia la mar ancha,
con los deberes hechos y bajo lunas castas,
noble y tranquilo hasta le gran orilla
donde espera, entre nieblas, amarrada mi barca...

Scarlet sunset

I'd like to keep all my leaves,
without that bare chill in my branches
from ice and the winter.
To be old, an old tree; that's fine.

But to see all my leaves, shining white,
like the tree that stands silver-plated
in the light of the moon.

Or covered in the golden tints
that the sun spreads, in an airy calm,
over the blue peaks on those autumn afternoons,
that in sleeping reflections
gently die away.

That's how I should like my evening ...

It doesn't matter that the ache in my bones
shows through my pale flesh
if the red dawn in my heart can sing
of everyone's happiness.
If my hand raises the staff
that my children carved from an aspen
aflame in the light of a new day.

If my banners are raised in the healing wind,
I shall walk the path, river below, to the wide sea,
duty done, beneath perfect moons,
proud and in peace to the great shore
where waiting in the mist, my boat is moored...